드론 기술 트렌드

드론 기술 트렌드

발행　　　2024년 04월 15일
저자　　　조남석
디자인　　어비, 미드저니
편집　　　어비
펴낸이　　송태민
펴낸곳　　열린 인공지능
출판사등록　2023. 03. 09(제2023-16호)
주소　　　서울특별시 영등포구 영등포로 112
전화　　　(0505)044-0088
E-mail　　book@uhbee.net
ISBN　　　979-11-93116-92-0

드론 기술 트렌드

드론의 현재와 미래

조남석 지음

열린 인공지능

content

007   머리말

1

드론 기술의
역사와 발전

012   드론 기술의 역사와 발전

014   드론 산업의 현재 상황

016   드론 산업의 미래 전망

2

드론
기술의 기초

019   드론 종류와 특징

025   핵심 기술 요소

026   드론의 작동 원리와 구성 요소

3 드론 응용 분야

032   농업

036   건설 및 부동산

040   미디어 및 엔터테이먼트

044   구조 및 긴급 상황

048   배송 및 물류

049   환경 보호

4 드론 기술의 최신 트랜드

054   자율 비행 및 인공지능의 통합

057   배터리 기술과 비행 시간의 발전

060   통신 기술의 진보

063   드론 관제 기술

066   가벼우면서도 강한 소재의 개발

5

드론
규제 및 정책

071   비행 금지 구역 설정

074   비행 허가 및 등록

077   운영자 교육 및 인증

078   개인 사생활 보호

080   보안 우려

083   도전 과제 및 미래 방향

6

드론 기술의
도전 과제 및 미래

086   공중 안전 및 보안

089   기술적 한계

092   규제 및 법적 이슈

095   자율성 및 인공지능의 향상

097   새로운 응용 분야의 탐색

100   지속 가능한 발전을 위한 혁신

104   결론

머 리 말

드론 기술의 발전으로 인해 한때 공상과학 소설의 페이지를 장식하던 장면들이 이제 우리 일상의 한 부분으로 자리 잡고 있다. 이 책은 드론이라는 무인이동체 기술이 어떻게 발전해 왔으며, 현재 어떤 모습으로 우리 삶에 깊숙이 관여하고 있는지, 그리고 미래 사회에 어떤 변화를 가져올 것인지를 탐색하고 있다.

드론은 인간의 활동 영역을 확장하는 동시에 우리가 직면한 문제들을 해결하기 위한 도구를 제공합니다. 농업, 건설, 미디어, 환경 보호, 인명 구조와 같은 다양한 분야에서 드론이 어떻게 사용되고 있는지를 살펴보며 사생활 침해, 공공 안전, 보안 문제 등은 드론 기술의 사회적 수용과 지속 가능한 발전을 위해 해결해야 할 중요한 과제로 소개한다.

이 책을 통해 독자들은 드론 기술이 인류에게 제공할 수 있는 기회와 가능성을 발견하게 될 것이며, 드론 기술의 미래를 함께 탐색하며, 이 혁신이 어떻게 우리의 삶을 변화시킬지 상상해 보시기 바랍니다.

저 자 소 개

　조남석은 탐사 드론 개발, 우주탐사 로버를 개발하고 있다. 한양대학교에서 지능형로봇학 박사를 수료하였으며, 2016년도에 무인탐사연구소를 창립하여, 화성탐사 드론, 기상관측용 드론 등을 개발하였으며 3D프린팅 드론을 제작하여 2015년도에 NASA 휴먼어드벤처전에서 3D프린트 드론을 전시하였다. 한국항공우주연구원의 항공우주기술 사업화 프로그램을 통해서 창업하여, 대기 및 지상관측 소형 태양광 무인기를 개발하였다. 드론의 충돌방지 시스템으로 학술대회에서 국회기재위원장 표창을 받았으며 4족보행 드론, 해양드론 등을 개발하였다. 한국항공우주연구원의 우주탐사 외부자문위원으로도 활동하였으며, 현재 한국항공우주학회의 종신회원이자 우주학술대회의 조직위원으로도 활동하고 있다.

1

드론 기술의
역사와 발전

01
드론 기술의 역사와 발전

드론 기술의 역사와 발전은 인류가 하늘을 정복하려는 오랜 꿈과 끊임없는 혁신의 결과이며 20세기 초, 비행 기술의 초기 단계에서부터 원격 조정 가능한 항공기의 개념이 탄생했다. 이 시기에 군사 목적으로 개발된 최초의 드론은 간단한 연습용 표적에서부터 복잡한 정찰 임무를 수행하는 도구로 발전했고 냉전 시대 동안, 드론 기술은 주로 군사적 감시와 정찰에 사용되며 급속도로 발전했다. 그러나 21세기에 들어서며, 드론은 더 이상 군사적 용도에만 국한되지 않게 되었고 다양한 분야에서 활용되게 되었다.

오늘날 드론은 농업, 구조 작업, 환경 모니터링, 물류, 엔터테인먼트 등 다양한 민간 분야에서 널리 활용되고 있다. 기술의 발전은 드론을 더 작고, 더 저렴하며, 더 지능적으로 만들었고, 이는 드론의 대중화를 가능하게 했다. 자율 비행, 인공지능, 고도화된 이미징 및 데이터 분석 기술의 통합은 드론이 복잡한 작업을 수행하고, 새로운 응용 분야를 탐색하는 데 중요한 역할을 하고 있다.

　　드론 기술의 미래는 무궁무진한 가능성을 내포하고 있으며 지속 가능한 발전을 위한 연구와 혁신은 드론이 환경적, 사회적, 경제적 이익을 제공하는 동시에, 공공의 안전과 개인의 사생활을 보호하는 방향으로 진행되어야 한다. 드론 기술의 역사와 발전은 인간의 창의력과 기술적 진보가 어떻게 현실을 변화시킬 수 있는지를 보여주는 중요한 예이다.

- 드 론 기 술 의 역 사 와 발 전

초기 드론 기술은 원래 군사 목적으로 개발되었다. 초기 드론은 간단한 원격
조종 비행기로 시작하여, 정찰 및 감시 임무를 수행하는 데 사용되었다. 20세기

초반부터 연구와 개발이 지속되어 왔으며, 이는 오늘날 드론을 통해서 복잡한 작업을 수행할 수 있도록 발전할 수 있는 기반이 되었다.

드론의 기술이 발전하면서 보다 복잡한 임무를 수행하게 되었고 군사 뿐만 아니라 상업적 및 민간 분야로의 확장되기 시작하였다. 예를 들어, 농업, 부동산, 미디어 촬영 등 다양한 분야에서 드론의 사용이 이미 보편화 되었다. 이러한 확장은 드론 기술의 다양한 응용 가능성을 보여주며, 이는 산업 전반에 걸쳐 혁신을 가져왔다.

드론 기술은 비행 시간, 안정성, 이미지 캡처 기술, 자율 비행 능력 등 여러 면에서 혁신을 거듭해 왔다. 특히 인공지능(AI)과 머신러닝 기술의 통합은 드론이 환경을 인식하고 결정을 내릴 수 있게 함으로써, 드론의 자율성과 효율성을 크게 향상시켰다.

드론 기술은 계속해서 혁신적인 발전을 거듭할 것으로 예상된다. 이는 더욱 정교한 자율 비행 기능, 향상된 데이터 처리 및 분석 능력, 그리고 인간과 드론 간의 상호 작용을 더욱 풍부하게 만들 새로운 인터페이스의 개발로 이어질 것으로 예상된다. 또한, 드론 기술의 지속 가능한 발전을 위한 연구와 정책 개발도 중요한 과제로 남아 있다. 이러한 발전은 드론이 사회, 경제, 환경적으로 긍정적인 영향을 미치는 방향으로 나아갈 것이다.

- 드론 산업의 현재 상황

드론 산업은 지난 몇 년 동안 빠르게 성장해 왔으며, 다양한분야에서 드론의 적용이 확대되고 있다. 이는 드론의 기술 발전, 비용 감소, 그리고 새로운 응용 분야의 탐색으로 인해 가능해졌다. 드론 기술은 농업, 구조, 배송 및 물류 등 여러 산업에서 경제적 이익을 창출하고 있디. 효율성 향상, 비용 절감, 안전한 작업 환경 제공 등은 드론에 가져온 주요 산업 변화이며, 드론 산업은 현재 빠른 성장과 변화의 시기를 겪고 있다. 기술적 혁신과 다양한 응용 분야에서의 활용 가능성 확대로 인해 전 세계적으로 큰 주목을 받고 있다. 이 산업의 성장은 소비자, 상업, 군사 분야 모두에 걸쳐 이루어지고 있으며, 드론 기술의 발전은 새로운 시장 기회를 창출하고 있다.

드론 시장은 지난 몇 년 동안 급성장을 이루었으며, 앞으로도 계속해서 성장할 것으로 예상된다. 시장 조사 기관의 보고에 따르면, 드론 산업은 다음 몇 년간 연평균 성장률이 두 자릿수를 기록할 것으로 전망한다. 이러한 성장은 상업적 드론 활용의 증가, 소비자 드론에 대한 지속적인 수요, 그리고 군사 및 방위 분야에서의 드론 사용 확대에서 기인하고 있다.

드론 기술은 지속적으로 발전하고 있으며, 자율 비행, 인공지능 통합, 향상된 이미징 및 센서 기술, 그리고 더 긴 비행 시간을 가능하게 하는 배터리 기술의 진보가 주요 혁신 과제이다. 이러한 기술적 진보는 드론이 더 복잡하고 다양한 작업을 수행할 수 있게 하며, 드론의 활용 범위를 크게 넓히고 있다.

드론은 농업, 부동산, 건설, 재난 관리, 환경 모니터링, 물류 및 배송 등 다양한 분야에서 사용되고 있다. 예를 들어, 농업 분야에서는 드론을 사용하여 작물의 상태를 모니터링하고, 정밀 농업을 실현하며, 재난 관리에서는 신속한 피해 평가와 구조 작업을 지원하고 있다. 물류 및 배송 분야에서는 드론을 통한 빠르고 효율적인 배송 솔루션이 모색되고 있다.

드론 산업의 성장과 함께, 규제 환경도 지속적으로 발전하고 있다. 많은 국가에서는 드론 운용에 관한 규제를 도입하거나 강화하여 공공 안전을 보호하고, 사생활 침해를 방지하며, 항공 교통의 안전을 유지하고 있다. 드론 운용자는 비행 허가, 드론 등록, 비행 금지 구역 준수 등의 규제를 따라야 한다.

드론 산업의 미래는 매우 밝을 것으로 예상하고 있다. 기술적 혁신과 시장의 요구 사항을 충족시킬 수 있는 새로운 응용 분야의 개발은 드론 산업의 지속적인 성장을 촉진할 것이며 또한, 드론 기술의 지속 가능한 발전을 위한 연구와 정책 개발이 중요한 과제로 남아 있다. 이를 통해 드론이 사회, 경제, 환경적으로 긍정적인 영향을 미치는 방향으로 발전할 수 있도록 노력해야 한다.

- 드론 산업의 미래 전망

드론 기술은 계속해서 발전할 것이며, 이는 더 나은 비행 성능, 더 긴 비행 시간, 그리고 더 높은 자율성을 포함할 것이다. 또한, 드론은 점점 더 복잡한 작업을 수행하고 다양한 환경에서 작동할 수 있게 될 것이다. 드론의 적용 범위는 산업현장으로도 계속해서 확장될 것이다. 예를 들어, 도시 계획, 교통 관리, 환경 모니터링 등 새로운 분야에서 드론의 활용이 탐색될 것이다. 드론의 증가하는 사용과 관련하여, 안전 및 프라이버시 문제를 다루는 명확하고 일관된 규제가 마련될 필요가 있으며 이는 드론 산업의 지속 가능한 성장을 위해 중요한 요소이다.

2

드론 기술의
기초

0 2
드론 기술의 기초

    드론 기술은 비교적 새로운 분야이지만, 빠르게 발전하고 있으며, 다양한 산업에서 폭넓게 활용되고 있다. 이 장에서는 드론의 기본적인 구성, 작동 원리, 핵심 기술 요소에 대해 자세히 다룬다. 드론 기술의 기초는 다양한 과학적 원리와 첨단 기술의 결합으로 이루어져 있다. 이 기술은 비행 원리, 제어 시스템, 센서 및 통신 기술, 그리고 소프트웨어 알고리즘의 집약체이다. 드론, 또는 무인 항공기 시스템(UAS)은 원격으로 조종되거나 사전 프로그래밍 된 경로를 따라 자율적으로 비행할 수 있는 능력을 갖추고 있다.

- 드 론 의 종 류 와 특 징

드론, 또는 무인 항공기(UAV)는 다양한 목적과 환경에 맞추어 설계된 여러 종류가 있다. 이러한 다양성은 드론의 활용 범위를 넓히고, 특정 작업을 수행하기 위한 특화된 기능을 제공한다. 대표적인 드론의 종류와 그 특징을 아래와 같다.

- **멀티로터 드론**

멀티로터 드론은 여러 개의 회전 날개(프로펠러)를 사용하여 공중에 떠 있다. 가장 일반적인 형태는 쿼드콥터(4개의 프로펠러), 하지만 헥사콥터(6개), 옥타콥터(8개)와 같이 더 많은 프로펠러를 사용하는 모델도 있다. 파생 된 모델로 수직 이착륙(VTOL)이 가능하며, 고정된 위치에서의 호버링, 짧은 거리의 정밀한 조작이 용이하다. 하지만 비교적 짧은 비행 시간과 제한된 속도 및 하중 용량을 가지고 있다. 사진 및 비디오 촬영, 부동산 및 건설 모니터링, 농업, 구조 및 검색 작업 등에 주로 사용된다.

- **고정익 드론**

고정익 드론은 전통적인 항공기와 유사한 디자인을 가지고 있으며, 고정된 날개를 가지고 있다. 더 긴 비행 시간과 더 높은 속도를 제공하며, 큰 하중을 운반할 수 있는 장점을 가지고 있다. 하지만 수직 이착륙이 힘들며, 이착륙을 위한 활주로가 필요하다. 대규모 농업 모니터링, 장거리 감시 및 조사, 환경 모니터링 등에 적합하다.

- **헬리콥터(단일로터) 드론**

단일 큰 로터(주 회전 날개)와 꼬리 부분의 작은 로터를 사용하여 비행한다. 전통적인 헬리콥터와 유사한 구조를 가지고 있다. 멀티로터 드론에 비해 더 큰 하중을 운반할 수 있으며, 비행 시간이 길고 효율적이지만 복잡한 조종과 비행 제어가 필요하며, 멀티로터 드론보다 제어가 어렵다. 하중 운반, 구조 및 긴급 상황 대응, 고급 촬영 작업 등에 사용된다.

- 하이브리드 VTOL

하이브리드 VTOL(Vertical Take-Off and Landing) 드론은 고정익과 멀티로터 드론의 특징을 결합한 디자인으로 수직 이착륙과 함께 장거리 비행이 가능하다. VTOL 기능으로 인해 활주로가 필요 없으며, 고정익 드론의 장거리 및 고속 비행 능력을 가지고 있다. 디자인과 제어 시스템이 복잡하며, 제작 비용이 높으며 물류 및 배송, 장거리 감시 및 모니터링, 광범위한 지역의 데이터 수집 등에 적합합니다.

각 드론 유형은 특정 임무와 환경에 최적화되어 있으며, 사용자의 요구 사항에 따라 적합한 드론 형태를 선택하는 것이 중요하다. 기술의 발전으로 드론의 종류와 기능은 계속해서 진화하고 있으며, 이는 드론이 더 많은 분야에서 다양한 역할을 수행할 수 있을 것으로 기대한다.

드론의 형태 뿐만 아니라 드론의 활용 부분에서도 소비자용, 상업용, 군사용으로 크게 나눌 수 있다. 소비자용 드론은 일반적으로 취미나 개인적인 목적으로 사용되며, 사진 및 비디오 촬영에 주로 활용된다. 가벼우며 조작이 간단한 편이다. 상업용 드론은 농업, 부동산, 건설 및 측량과 같은 특정 산업용도로 설계된 드론이며 고해상도 카메라, 열화상 카메라, LIDAR 센서 등 다양한 전문 장비를 탑재할 수 하여 보다 많은 임무를 할 수 있다. 군사용 드론은 정찰, 감시, 타격 임무 등을 수행하기 위해 군대에 의해 사용되며 특히 내구성이 뛰어나고, 장거리 비행 및 높은 하중 운반 능력을 갖추고 있어야 한다.

- 핵심 기술 요소

• 비행 제어 시스템

드론의 안정적인 비행과 조정을 가능하게 하는 뇌 역할을 한다. 자이로스코프와 가속도계를 포함한 센서가 실시간으로 비행 데이터를 수집하고, 이를 바탕으로 모터의 속도를 조절하여 드론의 위치와 방향을 제어한다.

• GPS 및 내비게이션

글로벌 포지셔닝 시스템(GPS)은 드론이 정확한 위치를 파악하고 목적지까지의 경로를 계획하는 데 사용된다. GPS는 또한 드론이 비행 중에도 정확한 위치를 유지할 수 있도록 돕는다.

• 센서 기술

다양한 센서(예: 비주얼 센서, 적외선 센서, 초음파 센서)는 드론이 주변 환경을 인식하고 장애물을 감지하는 데 중요하고 이는 드론이 안전하게 비행하고, 특정 작업을 수행하는 데 필요한 정보를 수집할 수 있도록 한다.

- 드론의 작동 원리와 구성 요소

- **모터와 프로펠러**

  드론을 공중에 띄우고 유지하는 데 추력이 필요한데, 이를 모터와 프로펠러가 담당한다. 대부분의 드론은 4개의 모터를 사용하는 쿼드콥터 구성을 가지고 있으며, 각 모터는 프로펠러를 구동하여 공기를 아래로 밀어내고 드론을 상승시킨다.

- **배터리**

  드론의 모든 전자 장치에 전력을 공급한다. 드론의 비행 시간과 성능은 사용되는 배터리의 용량과 효율성에 영향을 받는다.

- **비행 원리와 구성**

  드론의 비행 원리는 고정익 항공기와 비교해 상당히 다르다. 대부분의 드론은 멀티로터 시스템을 사용하여, 여러 개의 회전 날개(프로펠러)를 추력을 발생한다. 이 프로펠러들은 드론의 상승, 하강, 전진, 후진, 좌우 회전 등 다양한 비행 동작을 가능하게 한다. 드론의 핵심 구성 요소로는 모터, 프로펠러, 배터리, 비행 제어 보드, 센서 및 통신 장비 등이 있다.

- **비행 제어 시스템**

드론의 비행 제어 시스템은 항공기의 뇌와 같은 역할을 하며, 비행 중 드론의 안정성과 조종의 제어를 담당한다. 이 시스템은 다양한 센서(자이로스코프, 가속도계 등)에서 수집한 데이터를 처리하여, 모터의 속도를 조절하고 드론의 방향과 고도를 제어한다. 비교적 가격대가 비싼 드론의 경우 GPS와 비전센서 등을 이용해 위치를 정확히 파악하고, 사전 설정된 경로를 따라 비행할 수 있다.

- **센서 및 통신 기술**

드론의 센서 기술은 드론이 주변 환경을 인식하고, 장애물을 감지하며, 목표 지점에 정확히 도달할 수 있도록 한다. 통신 기술은 드론과 조종사 또는 제어 시스템 간의 신호 전송을 담당하고 이 시스템은 비행 제어, 비디오 스트리밍 및 데이터 전송을 가능하게 한다. 이는 주로 무선 주파수(RF) 통신, Wi-Fi, 또는 4G/5G 네트워크를 통해 이루어진다.

- **소프트웨어 및 애플리케이션**

드론 운영에는 비행 경로 계획, 이미지 처리, 데이터 분석 등을 위한 소프트웨어가 필수적이다. 드론용 애플리케이션은 사용자가 드론을 더 쉽게 조종하고, 비행 데이터를 모니터링하며, 촬영한 이미지나 비디오를 관리할 수 있게 해준다.

드론 기술을 이해하는 것은 이 분야의 혁신적인 가능성을 탐색하고, 드론이 제공할 수 있는 가치를 최대화하는 데 중요하며 드론 기술은 계속해서 발전하고 있으며, 이러한 기본 원리와 구성 요소의 발전이 드론의 새로운 응용 분야와 기능을 가능하게 할 것이다.

3

드론
응용 분야

03
드론 응용 분야

    드론 기술의 응용 분야는 매우 광범위하며 지속적으로 확장되고 있다. 이 기술은 농업에서부터 구조 및 긴급 상황 대응에 이르기까지 다양한 분야에서 혁신적인 해결책을 제공한다. 드론은 고유의 기동성과 접근성을 통해 전통적인 방법으로는 도달하기 어려운 영역에 대한 정보를 수집하고 작업을 수행할 수 있다. 이러한 특성은 드론을 매우 유용한 도구로 만들어, 여러 산업에서 그 가치를 인정받고 있다.

    드론 기술의 응용 분야는 계속해서 확장되고 있으며, 이러한 다양한 사용 사례는 드론이 제공할 수 있는 가치와 잠재력을 보여줍니다. 기술의 발전과 함께, 드론은 앞으로도 새로운 분야에서 혁신적인 해결책을 제공할 것이다.

- 농 업

　농업 분야에서 드론의 활용은 정밀 농업의 개념을 현실화하고 있다. 드론을 이용한 작물 모니터링은 농부들이 작물의 상태를 실시간으로 파악하고, 수분 수준, 영양 결핍, 병충해 감염 등을 조기에 발견할 수 있게 해준다. 이를 통해 농약과 비료의 효율적인 사용, 수확량 증가, 그리고 작물 관리 비용의 절감이 가능해진다. 또한, 드론을 이용한 정밀 살포는 농약과 비료를 필요한 곳에만 정확하게 분사하여 환경에 미치는 영향을 최소화한다.

　드론 기술이 농업 분야에 응용되면서 현대 농업의 패러다임을 근본적으로 변화시키고 있다. 이른바 '정밀 농업(Precision Agriculture)'의 핵심 도구로 자리잡은 드론은 농작물 관리, 효율적인 자원 사용, 수확량 증대 및 환경 영향 감소에 기여하고 있다. 드론을 통한 농업 응용은 농부들에게 실시간 데이터를 제공하여 보다 정보에 기반한 의사 결정을 가능하게 한다.

- **작물 모니터링 및 관리**

드론은 넓은 농지를 신속하게 모니터링 할 수 있는 능력을 가지고 있다. 고해상도 카메라와 다양한 센서를 탑재한 드론은 작물의 성장 상태, 병충해의 유무, 그리고 수분 수준 등을 정밀하게 감지할 수 있다. 이 정보를 바탕으로 농부들은 필요한 지역에만 물, 비료, 또는 살충제를 적용함으로써 자원을 효율적으로 사용할 수 있고, 환경에 미치는 부정적인 영향을 최소화할 수 있다.

- 정밀 분사

드론은 농약이나 비료를 작물에 정밀하게 분사하는 데 사용될 수 있다. 이는 전통적인 방법에 비해 더 적은 양의 농약을 사용하면서도 더 효과적인 해충 및 병해 관리를 가능하게 합니다. 또한, 드론을 사용한 분사는 지상에서 접근하기 어려운 지역이나 경사지에서도 수행할 수 있어 작업의 범위를 확장하며 인건비 및 시간을 크게 단축할 수 있다.

- 수확량 예측

드론은 고급 이미징 기술을 통해 작물의 성장 패턴을 분석하고, 이를 기반으로 수확량을 예측할 수 있다. 이러한 정보는 농가의 수익 관리와 시장 전략 수립에 중요한 데이터를 제공한다. 정확한 수확량 예측은 농산물의 공급 체인 관리를 개선하고, 시장에서의 가격 변동성을 줄이는 데 도움을 준다.

- 지속 가능한 농업

최근 드론 기술은 지속 가능한 농업을 촉진하고 있다. 예를 들어, 드론을 이용한 식생 상태 모니터링은 토양 침식이나 물 부족과 같은 문제를 조기에 발견하고, 이에 대응할 수 있게 한다. 또한, 드론을 활용한 정밀 농업은 필요 최소한의 자원 사용으로 최대의 생산성을 달성하는 것을 목표로 하여, 환경 보호와 자원의 지속 가능한 관리에 기여하고 있다.

드론 기술의 농업 분야 응용은 효율성, 생산성, 지속 가능성을 모두 향상시키는 혁신적인 방법을 제공한다. 지속적인 기술 발전과 함께, 농업에서 드론의 사용은 앞으로도 더욱 확대될 것으로 예상된다.

- 건 설 및 부 동 산

건설 산업에서 드론은 프로젝트의 진행 상황을 모니터링하고, 3D 매핑을 통해 건설 현장의 정확한 모델을 생성하는 데 사용된다. 드론을 통한 건설 정보는 프로젝트 계획의 정확성을 높이고, 잠재적인 문제를 사전에 식별하여 해결할 수 있도록 돕는다. 부동산 분야에서는 드론을 활용하여 고해상도의 공중 사진과 비디오를 촬영함으로써 재산을 홍보하는 데 새로운 방법을 제공한다.

드론 기술이 건설 및 부동산 분야에 적용되면서, 이들 산업의 작업 방식과 효율성에 혁명적인 변화를 가져왔다. 고해상도 카메라와 센서를 이용하여 건설 현장의 모니터링, 진행 상황의 기록, 그리고 부동산의 시각적 프레젠테이션을 획기적으로 개선하는데에 드론이 최근 많이 사용되고 있다.

- **프로젝트 모니터링 및 관리**

    드론은 건설 현장의 광범위한 영역을 신속하게 촬영하고, 이를 통해 프로젝트
의 진행 상황을 정기적으로 모니터링할 수 있다. 이러한 공중 촬영은 프로젝트
관리자가 현장의 다양한 측면을 실시간으로 파악하고, 필요한 조치를 취할 수
있도록 지원하며 또한, 드론으로 수집된 데이터는 프로젝트의 시간 관리와 자원
배분을 최적화하는 데 활용될 수 있다. 건설현장의 경우 시간과 인건비가 중요

한 문제인데 이러한 부분을 드론을 통한 모니터링으로 인력과 시간을 단축할 수 있다.

- **3D 매핑 및 모델링**

드론은 고정밀 사진측량 기술을 이용하여 건설 현장의 3D 맵을 생성할 수 있다. 이를 통해 건설 계획의 정확성을 향상시키고, 토목 공사에서 필요한 토지 분석과 측량 작업을 효율적으로 수행할 수 있다. 3D 모델은 또한 프로젝트 계획 단계에서 시뮬레이션과 시각화를 가능하게 하여, 설계 결정의 정확성을 높인다.

- **안전 점검 및 위험 관리**

드론은 건설 현장에서의 안전 점검을 위해 사용될 수 있으며, 고위험 지역이나 접근하기 어려운 구조물의 검사를 안전하게 수행할 수 있다. 드론을 활용한 정기적인 안전 점검은 잠재적인 위험 요소를 조기에 식별하고, 사고 발생률을 감소시킬 수 있다.

- **시각적 마케팅 자료 제작**

드론은 부동산의 마케팅 및 광고 자료 제작에 혁신을 가져왔다. 공중에서 촬영한 고품질의 사진과 비디오는 부동산의 매력을 돋보이게 하며, 잠재 구매자에게 시설과 주변 환경의 전체적인 모습을 효과적으로 보여준다. 이는 특히 대규모 부동산이나 특별한 지리적 특성을 가진 부동산의 프레젠테이션에 유용하다.

- **가상 투어 및 시뮬레이션**

드론으로 촬영한 영상을 활용하여 가상 투어를 제작함으로써, 잠재 구매자가 원격으로 부동산을 체험할 수 있다. 이는 구매 결정 과정을 지원하며, 특히 지리적으로 멀리 떨어진 구매자들에게 매력적인 옵션을 제공한다.

드론 기술의 건설 및 부동산 분야 적용은 작업의 효율성을 대폭 향상시키며, 프로젝트 관리의 정확성을 높이고, 마케팅 전략에 새로운 패러다임을 제공한다. 지속적인 기술 발전과 함께, 드론은 앞으로도 이 분야에서 더욱 중요한 역할을 수행할 것으로 기대하고 있다.

- 미디어 및 엔터테이먼트

　　드론은 뉴스 보도, 영화 촬영, 스포츠 행사 중계와 같은 미디어 및 엔터테인먼트 분야에서 중요한 역할을 한다. 드론을 이용한 공중 촬영은 독특하고 인상적인 시각적 콘텐츠를 제작할 수 있게 해준다. 이는 시청자에게 새로운 시각적 경험을 제공하며, 제작 비용을 절감하는 동시에 촬영의 유연성을 향상시킨다.

　　드론 기술이 미디어 및 엔터테인먼트 산업에 미치는 영향은 광범위하며, 이 분야에서 드론의 활용은 창의적인 표현의 새로운 지평을 열고 있다. 고도의 유연성과 독특한 촬영 각도를 가능하게 하는 드론은 영화, 텔레비전, 스포츠 이벤트, 그리고 대규모 공연 등 다양한 형태의 엔터테인먼트 제작에 혁신을 가져왔다.

• 영화 및 비디오 제작

　드론은 영화 및 비디오 제작에서 중요한 역할을 하며, 이전에는 고가의 헬리
콥터나 크레인 장비를 필요로 했던 공중 촬영을 저렴하고 효율적으로 수행할 수
있게 한다. 드론을 이용한 촬영은 독특하고 다이내믹한 시각적 효과를 제공하
며, 관객에게 몰입감 있는 경험을 선사하고 있다. 또한, 드론은 어려운 지형이나
접근하기 힘든 지역에서도 촬영할 수 있는 유연성을 제공 한다.

- 뉴스 보도 및 저널리즘

드론은 뉴스 보도 및 저널리즘에서도 점점 더 많이 사용되고 있다. 재난 현장, 시위, 스포츠 이벤트 등 실시간으로 중요한 사건을 공중에서 촬영하여, 보다 포괄적인 뉴스 커버리지를 가능하게 합니다. 드론을 통한 공중 촬영은 사건의 규모와 범위를 이해하는 데 도움을 주며, 뉴스 소비자에게 새로운 시각적 관점을 제공한다.

- 스포츠 및 이벤트 중계

스포츠 경기 및 대규모 이벤트 중계에서 드론은 경기장이나 이벤트 현장 전체의 공중 샷을 제공하여, 관객에게 경기의 역동성과 현장의 분위기를 생생하게 전달한다. 드론은 경기의 중요한 순간을 포착하거나, 이벤트의 규모를 보여주는 데 이상적인 도구로 자리 잡고 있다.

- 엔터테인먼트 쇼 및 공연

최근 드론은 엔터테인먼트 쇼와 공연에서도 창의적으로 활용되고 있다. 드론 스웜(다수의 드론이 협동하여 비행하는 기술)을 이용한 라이트 쇼는 야간 하늘을 화려하게 장식하며, 대규모 관객에게 인상적인 시각적 경험을 선사하고 있다. 이러한 드론 기반 쇼는 전통적인 불꽃놀이의 대안으로 각광받으며, 환경 친화적인 엔터테인먼트 옵션으로 주목 받고 있다.

드론 기술의 발전은 미디어 및 엔터테인먼트 산업에 새로운 창조적 가능성을 열고 있으며, 앞으로도 이 분야에서의 혁신적인 활용 방안이 계속해서 개발될 것이다. 드론은 예술적 표현의 새로운 영역을 개척하며, 엔터테인먼트 산업의 미래를 발전시켜 나가는데 중요한 역할을 할 것이다.

- 구 조 및 긴 급 상 황

　　드론은 재난 발생 시 구조 및 긴급 상황 대응에 필수적인 도구가 되고 있다. 화재, 홍수, 지진과 같은 자연 재해 시 드론은 피해 지역의 상황을 신속하게 탐사하고, 구조대가 접근하기 어려운 지역의 생존자를 찾는 데 사용된다. 또한, 드론은 위험한 환경에서 구조 작업을 수행함으로써 구조대원의 안전을 보장한다. 해양 인명 구조, 산악지역에서의 인명 수색 등에 사용되고 있다.

　　드론 기술이 인명 구조 및 긴급 상황 대응 분야에 적용되면서, 재난 대응과 구조 작업의 효율성과 신속성이 크게 향상되었다. 이러한 기술의 활용은 구조대의 안전을 보장하면서도, 재난 발생 시 신속한 대응을 가능하게 하여 인명 구조 활동의 성공률을 높이는 데 기여하고 있다.

- **신속한 탐색**

　드론은 재난 발생 직후 현장의 상황을 신속하게 평가하는 데 사용될 수 있습니다. 지진, 홍수, 산불 등 자연 재해 후에 드론은 공중에서 피해 상황을 촬영하여, 구조대가 접근하기 어려운 지역의 상태를 파악할 수 있게 한다. 이를 통해 구조대는 피해 규모를 신속하게 이해하고, 구조 작업의 우선 순위를 결정할 수 있다.

- **실종자 탐색**

드론은 넓은 지역에서 실종자를 효과적으로 탐색하는 데 유용한 도구이다. 고해상도 카메라와 열화상 센서를 탑재한 드론은 밀림, 산악 지역, 재난 피해 지역에서 실종자의 위치를 정확하게 파악할 수 있다. 드론을 이용한 탐색은 구조대가 실종자에게 빠르게 도달하고, 필요한 의료 지원을 제공할 수 있게 합니다.

- **구조 및 물자 전달**

드론은 긴급 물자를 재난 현장이나 접근이 어려운 지역에 전달하는 데 사용될 수 있다. 음식, 의약품, 통신 장비 등 생명을 구할 수 있는 필수 물품을 신속하게 전달함으로써, 구조 대상자의 생존 가능성을 높일 수 있다. 또한, 드론을 통해 구명조끼, 로프 등 구조 장비를 전달하여, 구조 작업의 안전과 효율성을 높일 수 있다.

- **통신 네트워크 구축**

드론은 재난 발생 시 파괴된 통신 인프라를 대체하는 데 사용될 수 있다. 통신 기능을 갖춘 드론은 임시 통신 네트워크를 구축하여, 구조대와 피해자 간의 통신을 지원하고, 구조 작업을 조율하는 데 중요한 역할을 한다. 이러한 방식은 사람들이 갑자기 많아져서 임시 통신 인프라가 필요한 축제 같은 행사에서나 군사 용도와 같은 곳에서 사용될 수 있다.

드론 기술의 인명 구조 및 긴급 상황 대응 분야에서의 활용은 재난 대응 능력을 혁신적으로 개선하고 있다. 이러한 기술의 발전과 적용은 앞으로도 계속해서 발전할 것이며, 재난 대응 전략의 중요한 부분으로 자리 잡을 것이다. 드론은 재난 발생 시 인명 구조 활동의 효율성을 극대화하고, 구조 대상자의 생존율을 높이는 데 결정적인 역할을 할 수 있다.

- 배송 및 물류

    드론 기반 배송 시스템은 물류 산업의 미래로 여겨지고 있다. 드론을 이용한 배송은 도시 지역뿐만 아니라 접근이 어려운 지역에서도 빠르고 효율적인 배송을 가능하게 하며 이는 배송 시간을 단축하고, 운송 비용을 절감하며, 고객 만족도를 향상시키는 잠재력을 가지고 있다.

- 환 경 보 호

환경 보호 분야에서 드론은 야생 동물 모니터링, 삼림 파괴 감시, 오염 감시 등에 사용되며, 보다 효율적이고 정확한 환경 보호 활동을 가능하게 한다. 드론은 특히 접근이 어려운 지역에서의 모니터링 작업을 수행함으로써, 환경 보호 목적의 임무에 투입 되고 있다.

드론 기술은 환경 보호와 모니터링 분야에서 중요한 역할을 하고 있으며, 지구의 취약한 생태계를 보호하고 자연 자원을 지속 가능하게 관리하는 데 기여하고 있다. 드론은 접근이 어렵거나 위험한 지역에서도 사용할 수 있으며, 대규모 지역을 신속하게 조사할 수 있는 능력을 갖추고 있다. 이러한 특성은 환경 보호 활동에 있어 드론을 강력한 도구로 만들어 준다.

• 야생 동물 보호 및 모니터링

드론은 멸종 위기에 처한 동물들의 개체 수를 추적하고, 밀렵 활동을 감시하는 데 사용되고도 있다. 공중에서 촬영한 이미지와 비디오는 동물들의 이동 패턴, 서식지의 변화, 그리고 인간 활동의 영향을 파악하는 데 도움을 준다. 드론을 이용한 모니터링은 자연 보호구역의 관리를 개선하고, 밀렵과 같은 불법 활동에 신속하게 대응할 수 있게 한다.

- **산림 및 식생 관리**

드론은 산림의 건강 상태를 모니터링하고, 산불 감시, 피해 평가, 식생 복원 프로젝트의 진행 상황을 평가하는 데 사용된다. 고해상도 카메라와 다양한 센서를 탑재한 드론은 토양의 수분 함량, 식생의 종류와 밀도, 그리고 산림 피해의 규모를 정밀하게 조사할 수 있다. 이러한 정보는 산림 관리와 보호 정책의 수립에 중요한 기초 자료를 제공한다.

- **환경 오염 및 변화 모니터링**

드론은 환경 오염 조사와 기후 변화의 영향을 모니터링하는 데에도 활용된다. 예를 들어, 드론은 대기 중의 오염 물질 샘플링, 오염된 물이나 토양의 상태 조사, 그리고 해안선의 침식과 같은 지형 변화의 관찰에 사용될 수 있다. 또한, 빙하의 후퇴나 해수면 상승과 같은 기후 변화의 징후를 감지하는 데도 중요한 역할을 한다.

- **재해 예방 및 대응**

드론은 자연 재해의 예방과 대응에 있어 중요한 정보를 제공한다. 홍수, 산사태, 산불 위험 지역의 모니터링을 통해 재해 발생 가능성을 사전에 평가하고, 필요한 예방 조치를 취할 수 있다. 재난 발생 후에는 드론을 이용해 피해 지역의 상황을 신속하게 평가하고, 구조 및 복구 작업에 투입 될 수 있다.

드론 기술의 환경 보호 분야에서의 활용은 지속 가능한 환경 관리와 자연 보호에 있어 중요한 발전을 가져왔다. 앞으로도 드론은 환경 모니터링의 정확성과 효율성을 높이며, 지구의 자연 환경을 보호하는 데 계속해서 기여할 것이다.

4

드론
응용 분야

04
드론 기술의 최신 트렌드

드론 기술은 빠르게 발전하고 있으며, 이 분야의 최신 트렌드는 기술의 진보, 새로운 응용 분야의 탐색, 그리고 법규 및 사회적 수용도의 변화를 반영한다. 여기에는 자율 비행 기능의 향상, 배터리 수명의 연장, 통신 기술의 발전, 드론 스웜 기술, 그리고 가벼우면서도 강한 소재의 개발 등이 포함된다.

- 자율 비행 및 인공지능의 통합

드론 기술에서 가장 주목받는 트렌드 중 하나는 자율 비행 능력과 인공지능 (AI)의 통합이다. 이러한 기술은 드론이 복잡한 환경에서도 스스로 경로를 계획하고 장애물을 회피할 수 있게 해준다. AI 알고리즘을 사용함으로써, 드론은 이미지 인식, 환경 분석, 실시간 의사결정 등을 수행할 수 있다. 이는 특히 검색 및 구조, 농업 모니터링, 인프라 검사 등의 분야에서 드론의 효율성과 안정성을 크게 향상시킨다.

드론 기술의 최신 발전 중에서도 자율 비행 및 인공지능(AI)의 통합은 특히 주목할 만한 혁신이다. 이러한 기술의 결합은 드론의 운용 방식과 가능성을 근본적으로 변화시키고 있으며, 드론의 독립적인 의사 결정 능력과 환경 인식 능력을 대폭 향상시키고 있다.

• 자율 비행의 진화

자율 비행 기능을 갖춘 드론은 사전 프로그래밍된 경로를 따라 비행할 수 있을 뿐만 아니라, 실시간으로 데이터를 분석하여 비행 경로를 조정할 수 있다. 이는 GPS 기반 내비게이션, 센서 데이터 처리, 그리고 복잡한 알고리즘을 통해 가능해진다. 자율 비행 드론은 장애물을 인식하고 회피하는 능력, 목표 지점까지의 최적 경로를 계산하는 능력, 그리고 예기치 않은 상황에 대응하는 능력을 갖추고 있다.

- **인공지능의 통합**

인공지능의 통합은 드론이 주변 환경을 더욱 정밀하게 인식하고, 복잡한 작업을 수행할 수 있게 해준다. AI는 이미지 인식, 패턴 분석, 그리고 기계 학습을 통해 드론에게 실시간으로 정보를 제공하며, 이를 바탕으로 드론이 독립적으로 의사 결정을 내릴 수 있게 한다. 예를 들어, 농업 분야에서 AI를 통합한 드론은 작물의 상태를 분석하고, 필요한 조치를 취할 수 있다. 또한, 구조 및 검색 작업에서는 실종자를 효과적으로 찾아내는 데 사용될 수 있다.

- **응용 분야의 확장**

자율 비행 및 AI 통합 기술은 드론의 응용 분야를 대폭 확장시키고 있다. 이는 물류 및 배송에서부터 재난 대응, 인프라 검사, 환경 모니터링에 이르기까지 다양한 분야에서 드론의 활용을 증가시키고 있다. 특히, 드론을 이용한 자율 배송 시스템은 물류 산업에서 큰 변화를 예고하고 있으며, 이를 통해 배송 시간 단축과 비용 절감이 가능해질 것으로 기대된다.

- **도전 과제 및 미래 전망**

　자율 비행 및 AI 통합에도 불구하고, 여전히 해결해야 할 기술적, 법적, 윤리적 도전 과제가 있다. 안전성 확보, 사생활 보호, 데이터 보안 등은 이 기술의 보급과 발전 과정에서 중요한 고려 사항이다. 미래에는 이러한 기술이 더욱 발전하여 드론이 더욱 지능적이고, 다양한 환경에서 더욱 효과적으로 작업을 수행할 수 있게 될 것이다. 지속적인 연구와 혁신을 통해 드론 기술은 인간의 삶을 풍요롭게 하고, 산업을 혁신하는 중요한 역할을 계속해서 수행할 것이다.

- 배 터 리 기 술 과 비 행 시 간 의 발 전

    드론의 운용 시간과 범위는 배터리 수명에 크게 의존하고 있다. 최근에는 리튬-이온 배터리 기술의 발전과 함께, 배터리 용량이 증가하고 충전 시간이 단축되는 추세이다. 또한, 태양광 패널을 이용한 에너지 보충, 수소 연료 전지의 사용 등 새로운 에너지 솔루션의 탐색이 진행되고 있어, 드론의 비행 시간과 작동 범위를 현저히 향상시키고 있다.

    드론 기술의 발전과 함께, 배터리 기술과 비행 시간의 향상은 드론 산업에서 매우 중요한 연구 분야이다. 드론의 운용 시간과 범위는 주로 배터리의 성능에 의존하기 때문에, 배터리 기술의 발전은 드론의 활용 가능성을 크게 넓힌다.

• 배터리 기술의 혁신

    전통적으로, 대부분의 드론은 리튬 폴리머(LiPo) 배터리를 사용해왔다. 이 배터리는 가벼우며 에너지 밀도가 높아 드론에 적합하지만, 비교적 짧은 비행 시간과 긴 충전 시간의 단점이 있다. 최근 연구와 개발은 이러한 한계를 극복하고자 다양한 방향으로 진행되고 있다.

- 리튬-황 배터리 : 리튬-황(Li-S) 배터리는 더 높은 에너지 밀도를 제공하여 드론의 비행 시간을 연장할 수 있는 잠재력을 가지고 있다. 또한, 황은 리튬에 비해 풍부하고 저렴하여 경제적인 이점도 있다.

- 고체 전해질 배터리 : 전통적인 액체 전해질 대신 고체를 사용하는 배터리는 안전성이 더 높고, 더 긴 수명을 제공한다. 이 기술은 아직 초기 단계에 있지만, 드론 배터리로서 큰 가능성을 가지고 있다.

• 비행 시간의 향상

드론의 비행 시간을 연장하기 위한 또 다른 접근 방법으로는 에너지 효율성을 높이는 설계 혁신과 에너지 회수 기술이 있다.

- 에너지 효율적인 설계: 드론의 설계를 최적화하여 공기 저항을 최소화하고 모터 및 프로펠러의 효율을 최대화함으로써 에너지 사용을 줄일 수 있다. 가벼운 소재의 사용도 중요한 역할을 한다.

- 에너지 회수 시스템: 일부 고급 드론은 하강 또는 제동 시 발생하는 에너지를 회수하여 배터리를 재충전하는 기술을 탑재하고 있다. 이는 전체적인 에너지 효율성을 개선하여 비행 시간을 연장한다.

배터리 기술과 관련된 지속적인 연구와 혁신은 드론의 비행 시간을 현저히 향상시킬 것으로 예상된다. 또한, 태양광 패널의 통합, 수소 연료 전지의 사용과 같은 대체 에너지 소스의 활용도 탐색되고 있다. 이러한 발전은 드론을 더욱 다양한 분야에서 활용할 수 있게 하며, 특히 장거리 탐사, 물류 및 배송, 재난 구조 작업에서의 드론 사용을 혁신적으로 변화시킬 수 있다.

결론적으로, 배터리 기술과 비행 시간의 발전은 드론 산업의 미래에 핵심적인 역할을 할 것이며, 이 분야에서의 혁신은 드론의 성능과 활용 범위를 지속적으로 확장할 것이다.

- 통신 기술의 진보

드론 운용에 있어서 안정적이고 효율적인 통신 시스템은 필수적이다. 5G와 같은 최신 통신 기술의 도입은 드론과 조종사 간, 또는 드론과 드론 간의 저지연, 고속 데이터 전송을 가능하게 하다. 이는 실시간 데이터 스트리밍, 원격 제어, 그리고 다수의 드론을 동시에 운용하는 작업의 효율성을 높여준다.

드론 기술의 급속한 발전에 발맞추어, 통신 기술의 진보도 드론의 성능과 활용도를 크게 향상시키고 있다. 드론 통신 기술의 핵심은 신뢰성 높은 데이터 전송, 실시간 커뮤니케이션, 그리고 확장된 비행 범위 내에서의 안정적인 연결을 보장하는 것이다. 최신 트렌드는 드론이 더 멀리, 더 안전하게, 그리고 더 효율적으로 작업을 수행할 수 있게 하는 방향으로 발전하고 있다.

• 5G 통신 기술

5G는 드론 통신 기술의 게임 체인저로 자리 잡고 있다. 이전 세대의 통신 기술에 비해 5G는 더 빠른 데이터 전송 속도, 더 낮은 지연 시간, 그리고 더 많은

장치를 동시에 연결할 수 있는 능력을 제공한다. 드론에 5G 기술을 적용함으로써, 고해상도 비디오 스트리밍, 실시간 데이터 분석, 그리고 복잡한 자율 비행 작업이 가능해졌다. 예를 들어, 5G를 활용한 드론은 재난 지역에서의 실시간 모니터링, 대규모 이벤트에서의 보안 감시, 그리고 정밀 농업에서의 실시간 데이터 수집에 이상적이다.

- **위성 통신의 활용**

위성 통신은 드론이 원격 지역이나 통신 인프라가 부족한 지역에서도 연결을 유지할 수 있게 해준다. 이 기술은 특히 대규모 지리적 영역을 커버해야 하는 탐사, 감시, 및 검색 및 구조 작업에 유용하게 활용된다. 위성을 통한 드론 통신은 거의 모든 지역에서 작업의 가능성을 열어주며, 데이터 전송과 명령 실행에 있어 지리적 제약을 크게 줄여준다.

- **LPWAN 기술**

저전력 광역 네트워크(Low-Power Wide-Area Network, LPWAN) 기술은 에너지 효율적인 통신을 가능하게 하여 드론의 비행 시간과 작업 범위를 늘린다. 이 기술은 주로 데이터 수집과 모니터링 작업에 적합하며, 농업, 환경 모니터링, 그리고 인프라 관리와 같은 분야에서 드론의 사용을 확대할 수 있다. LPWAN은 높은 에너지 효율성과 넓은 커버리지를 제공하지만, 대용량 데이터 전송에는 제한이 있다.

- **메쉬 네트워킹**

드론 간의 메쉬 네트워킹은 여러 대의 드론이 서로 통신하며 협력하는 작업을 가능하게 한다. 이 기술은 드론 스웜 작업, 즉 여러 대의 드론이 집단적으로 하나의 목표를 달성하는 데 필수적이며 메쉬 네트워킹을 통해 드론은 정보를 실시간으로 공유하고, 작업을 조율하며, 효율적으로 목표를 달성할 수 있다. 예를 들어, 대규모 지역의 3D 매핑, 복잡한 구조물의 검사, 또는 대형 이벤트에서의 보안 감시 등에 활용될 수 있다.

- **도전 과제 및 미래 전망**

드론 통신 기술의 발전에는 여전히 해결해야 할 도전 과제가 있다. 이에는 데이터 보안, 통신 인프라와의 호환성, 그리고 다양한 환경에서의 안정적인 연결 유지 등이 포함된다. 미래에는 이러한 문제들을 해결하고, 더욱 발전된 통신 기술을 통해 드론의 성능과 활용도를 더욱 향상시킬 것으로 기대하고 있다. 드론 산업의 지속적인 성장과 함께, 통신 기술의 진보는 드론이 인간의 삶을 풍요롭게 하고, 산업을 혁신하는 데 중요한 역할을 계속해서 수행할 것이다.

- 드 론 관 제 기 술

드론 관제 기술은 여러 대의 드론이 협력하여 공동의 목표를 달성하는 능력을 의미한다. 이 기술은 군사 작전, 대규모 감시, 농업 모니터링, 그리고 엔터테인먼트 산업에서 복잡한 공중 퍼포먼스를 제작하는 데 사용된다. 드론 스웜은 고도의 조정과 협력을 통해 단일 드론으로는 불가능한 작업을 수행할 수 있다.

드론 군집제어 기술, 또는 드론 스웜 기술은 여러 대의 드론이 집단적으로 협력하여 한 목표를 달성하는 고도의 조직화된 시스템이다. 이 기술은 복잡한 알고리즘, 통신 시스템, 그리고 인공지능(AI)을 통해 개별 드론 간의 조율된 작업 수행을 가능하게 한다. 드론 군집제어 기술은 다양한 응용 분야에서 혁신적인 가능성을 제시하며, 특히 대규모 데이터 수집, 검색 및 구조, 환경 모니터링, 그리고 엔터테인먼트에서 그 가치가 높게 평가되고 있다.

• 기술적 기반

드론 군집제어 기술의 핵심은 각각의 드론이 독립적으로 환경을 인식하고, 실시간으로 데이터를 공유하며, 집단적인 결정을 내릴 수 있는 능력에 있다. 이를 위해 드론은 고도의 센서 퓨전 기술, 정교한 비행 제어 알고리즘, 그리고 AI 기반의 의사결정 시스템을 탑재하고 있다. 드론 간의 통신은 저지연, 고신뢰성을 요구하며, 이는 5G 통신 기술 또는 메쉬 네트워킹을 통해 달성된다.

- **응용 분야**

- 대규모 데이터 수집 : 드론 군집은 넓은 지역에 걸쳐 동시에 데이터를 수집할 수 있어, 정밀 농업, 지리적 매핑, 환경 모니터링 등에서 효율적으로 활용될 수 있다.

- 검색 및 구조 : 재난 발생 시, 드론 군집은 넓은 지역을 신속하게 탐색하고, 생존자를 찾아내는 데 중요한 역할을 한다. 각 드론이 수집한 정보는 실시간으로 통합되어 구조 작업의 효율성을 극대화 된다.

- 환경 모니터링 : 드론 군집은 생태계 변화, 오염 감시, 그리고 야생동물 조사와 같은 환경 모니터링 작업에 이상적이다. 광범위한 영역을 동시에 커버할 수 있어 보다 정확하고 포괄적인 데이터를 제공한다.

- 엔터테인먼트 : 드론 군집은 빛과 움직임을 활용한 대규모 공중 퍼포먼스를 생성하여, 새로운 형태의 엔터테인먼트를 창출한다. 이는 관객에게 인상적인 시각적 경험을 제공한다.

- **도전 과제 및 미래 전망**

　드론 군집제어 기술의 발전은 여전히 몇 가지 도전 과제에 직면해 있다. 이에는 실시간 데이터 처리와 공유의 복잡성, 드론 간의 안정적인 통신 유지, 그리고 충돌 회피와 같은 안전 문제가 포함된다. 또한, 이러한 기술의 규제 및 윤리적 측면도 중요한 고려 사항이다.

　미래에는 이러한 도전 과제를 극복하고, 드론 군집제어 기술을 더욱 발전시켜 넓은 범위의 산업과 사회적 문제 해결에 기여할 수 있을 것 이다. 특히, AI와 로봇 공학의 진보는 드론 군집의 자율성과 효율성을 더욱 향상시킬 것으로 기대된다. 드론 군집제어 기술은 미래의 다양한 분야에서 혁신적인 해결책을 제공하는 열쇠가 될 것이다.

- 가벼우면서도 강한 소재의 개발

　드론의 성능과 효율성은 사용되는 소재에 크게 좌우된다. 최신 트렌드는 탄소섬유, 알루미늄-리튬 합금, 그리고 강화 플라스틱과 같은 가벼우면서도 강한 소재의 개발에 초점을 맞추고 있다. 이러한 소재는 드론의 내구성을 높이고, 무게를 줄여 비행 효율성을 개선할 수 있다.

　드론 기술의 발전은 단순히 소프트웨어와 하드웨어의 진보에만 의존하는 것이 아니라, 사용되는 소재의 혁신에도 크게 의존한다. 드론의 성능, 비행 시간, 내구성, 그리고 효율성은 사용된 소재의 특성에 직접적으로 영향을 받기 때문에, 최신 소재 기술의 도입은 드론 산업에서 중요한 연구 분야이다. 이러한 최신 소재 기술은 드론을 더 가볍고, 더 강하며, 에너지 효율적으로 만들어, 다양한 응용 분야에서의 사용 가능성을 확장하고 있다.

・

- **가벼우면서 강한 소재**

  - 탄소 섬유 강화 플라스틱 (CFRP) : 탄소 섬유는 드론 제조에서 널리 사용되는 소재로, 뛰어난 강도와 강성을 가지고 있으면서도 매우 가볍다. 탄소 섬유 강화 플라스틱은 드론의 프레임과 외부 구조물에 사용되어, 충격에 대한 저항성을 향상시키고 비행 중의 안정성을 보장한다.

  - 알루미늄-리튬 합금 : 항공우주 산업에서 가져온 기술인 알루미늄-리튬 합금은 경량이면서도 높은 강도를 제공한다. 이 소재는 드론의 중량을 줄이면서도 구조적 무결성을 유지하는 데 도움을 주며 또한, 뛰어난 내식성과 내열성을 가지고 있어 드론의 수명을 연장시킨다.

  - 3D 프린팅 소재 : 3D 프린팅 기술의 발전은 사용자 맞춤형 드론 디자인과 복잡한 형태의 구조물 제작을 가능하게 한다. 다양한 플라스틱, 금속, 그리고 복합 소재를 사용한 3D 프린팅은 제작 비용을 절감하고, 설계의 유연성을 향상시킨다.

- **에너지 효율과 내구성을 위한 혁신**

  - 나노 소재 : 나노 기술을 활용한 소재는 드론의 에너지 효율을 향상시킬 수 있다. 예를 들어, 나노 구조를 가진 배터리 소재는 전기화학적 성능을 향상시켜 배터리 수명을 연장하고, 충전 시간을 단축시킬 수 있다.

  - 복합 소재 : 여러 종류의 소재를 결합한 복합 소재는 경량성, 내구성, 그리고

열 및 전기 전도성과 같은 특성을 최적화할 수 있다. 이러한 복합 소재는 드론의 다양한 부품과 구조물에 적용될 수 있으며, 특히 고성능 드론의 요구 사항을 충족시키는 데 유용하다.

드론 소재 기술의 지속적인 혁신은 드론의 성능을 극대화하고, 새로운 응용 분야를 개척하는 데 중요한 역할을 할 것이다. 가볍고 강한 소재의 개발은 드론의 비행 시간과 효율성을 높이며, 내구성과 안전성을 개선할 것이다. 또한, 환경 친화적이고 지속 가능한 소재의 도입은 드론 산업의 지속 가능한 발전에 기여할 것입니다. 앞으로도 소재 과학의 발전은 드론 기술의 새로운 가능성을 계속해서 열어갈 것으로 기대된다.

이러한 최신 트렌드는 드론 기술의 지속적인 발전을 촉진하며, 다양한 분야에서 새로운 응용 가능성을 열어주고 있다. 기술의 진보는 또한 드론 운용의 안전성과 효율성을 높이는 동시에, 사회적 수용도를 개선하고 법적 규제와의 조화를 추구하는 중요한 도전 과제를 제시한다.

5

드론
규제 및 정책

0 5
드 론 규 제 및 정 책

드론 기술의 급속한 발전과 널리 퍼진 사용은 전 세계적으로 드론 규제 및 정책의 필요성이 대두되고 있다. 이러한 규제와 정책은 공공의 안전을 보장하고, 사생활을 보호하며, 국가의 보안을 유지하는 데 목적이 있다. 다양한 국가와 지역에서는 각기 다른 접근 방식을 채택하고 있지만, 몇 가지 공통적인 요소가 있다.

- 비행 금지 구역 설정

    대부분의 국가에서는 공항, 군사 기지, 정부 건물 등 중요한 시설 주변을 비행 금지 구역으로 지정하고 있다. 이는 드론이 항공 교통을 방해하거나 국가 보안에 위협을 가하지 않도록 하기 위함이다.

    드론 기술의 급속한 발전과 보급화에 따라, 공공의 안전을 보장하고 항공 교통의 질서를 유지하기 위해 전 세계적으로 다양한 규제와 정책이 마련되었다. 이 중에서도 비행 금지 구역 설정은 드론 운용에 있어 가장 중요한 규제 중 하나이다. 비행 금지 구역은 드론이 비행을 금지하거나 제한적으로만 비행할 수 있는 지역을 지정한 것으로, 주로 안전, 보안, 사생활 보호와 관련된 이유이다.

• 비행 금지 구역의 목적

    - 공항 및 항공로 보호 : 공항 주변과 항공기의 이착륙 경로는 드론으로 인한 사고 위험이 높은 지역이다. 드론과 항공기의 충돌을 방지하기 위해 이러한 지역은 대부분의 국가에서 엄격한 비행 금지 구역으로 지정되어 있다.

   - 군사 및 정부 시설 보호 : 국가 안보를 위해 군사 기지, 정부 건물, 외교 시설 등은 드론의 접근을 엄격히 제한하는 비행 금지 구역으로 설정되었다. 이는 시설의 보안과 기밀 유지를 위해서이다.

   - 민감한 지역 보호 : 국립공원, 야생동물 보호구역, 역사적 유적지 등 민감한 환경이나 문화적 가치가 높은 지역도 드론으로 인한 영향을 최소화하기 위해 비행 금지 구역으로 지정될 수 있다.

- 개인 사생활 보호 : 주거 지역과 같이 개인의 사생활 보호가 중요한 곳에서는 드론 비행을 제한하여, 무단 촬영이나 감시를 방지한다.

- **비행 금지 구역 설정 방법**

비행 금지 구역은 각국의 항공 관리 기관이나 정부 기관에 의해 설정되며, 드론 운용자는 비행 전 해당 지역의 규제를 확인하고 준수해야 한다. 많은 국가에서는 전자 지도 또는 모바일 앱을 통해 비행 금지 구역 정보를 제공하고 있어, 운용자가 쉽게 접근하고 확인할 수 있다.

- **도전 과제 및 미래 방향**

비행 금지 구역 설정과 관련하여, 드론 기술과 규제 사이의 균형을 맞추는 것이 중요한 도전 과제이다. 드론 산업의 지속적인 성장과 새로운 응용 분야의 등장은 기존의 규제를 재검토하고, 더욱 유연하고 혁신적인 접근 방식을 모색하게 만든다. 미래에는 기술의 발전을 반영하여 비행 금지 구역의 설정과 관리 방법이 더욱 정교해지고, 드론 운용자와 항공 교통 관리 시스템 간의 통합이 강화될 것으로 예상된다. 이는 안전과 효율성을 동시에 증가시키며, 드론의 사회적 수용도를 높이는 데 기여할 것이다.

- 비 행 허 가 및 등 록

많은 국가에서는 드론 운영자가 드론을 비행하기 전에 허가를 받거나 드론을 등록해야 한다. 이 과정은 드론의 소유자와 운영자에 대한 정보를 기록하고, 필요한 경우 추적할 수 있다.

드론의 대중화와 다양한 산업 분야에서의 활용 증가로 인해, 전 세계적으로 비행 허가 및 등록 요구가 강화되고 있다. 이러한 규제는 드론을 안전하고 책임감 있게 운용하도록 하며, 불법적인 활동을 방지하고, 공공의 안전을 보호하는 데 목적이 있다.

• 비행 허가

비행 허가는 드론 운용자가 특정 조건이나 지역에서 드론을 비행하기 전에 받아야 하는 공식적인 승인다. 비행 허가는 일반적으로 드론의 용도(상업적, 교육적, 연구적 등), 비행 지역, 비행 고도 및 시간 등의 정보를 기반으로 발급된다. 상업적 용도로 드론을 사용하는 경우, 특히 엄격한 비행 허가 요구사항이 적용될 수 있으며, 운용자는 필요한 교육과 시험을 통과해야 한다. 이 과정은 드론 운용자가 항공 안전 규정, 비행 기술, 긴급 상황 대처 방법 등을 숙지하고 있어야 한다.

- **드론 등록**

드론 등록은 운용자가 자신의 드론을 관련 정부 기관에 공식적으로 등록하는 과정이다. 등록 시 운용자는 드론의 모델, 제조 번호, 자신의 연락처 정보 등을 제공해야 한다. 드론 등록의 주요 목적은 드론과 운용자를 식별 가능하게 하여, 사고 발생 시 책임 소재를 명확히 하고, 불법적인 사용을 추적할 수 있게 하는 것이다. 많은 국가에서는 일정 무게 이상의 드론에 대해 등록을 의무화하고 있으며, 등록하지 않은 드론의 운용은 법적 처벌의 대상이 될 수 있다.

- **국제적인 협력과 표준화**

드론 규제는 국가마다 다르게 적용되지만, 국제적인 협력과 규제 표준화에 대한 논의도 활발히 진행되고 있다. 이는 드론 운용의 글로벌 네트워크화 및 국경을 넘는 활동이 증가함에 따라 필요한 조치이다. 국제민간항공기구(ICAO)와 같은 기구는 드론 운용에 관한 국제적인 규범과 표준을 개발하는 데 중점을 두고 있다.

- **도전 과제**

비행 허가 및 드론 등록 과정은 드론 산업의 지속 가능한 발전을 위해 필수적이지만, 과도한 규제가 혁신을 저해할 수 있다는 우려도 있다. 따라서, 규제 기관은 드론 기술의 빠른 발전과 산업의 성장 잠재력을 고려하여, 유연하고 현실적인 규제 체계를 마련해야 한다. 또한, 드론 운용자에 대한 교육과 인식 제고 프로그램은 안전한 드론 운용 문화를 조성하는 데 중요한 역할을 한다.

비행 허가 및 드론 등록은 드론 기술이 가져올 수 있는 혜택을 최대화하고, 동시에 잠재적인 위험을 최소화하기 위한 균형점을 찾으려는 노력의 일환이다. 이러한 규제는 공공의 안전을 보호하고, 드론 산업의 건전한 발전을 지원하는 데 필수적인 요소이다.

- 운영자 교육 및 인증

드론 운영자에 대한 교육 및 인증 요구 사항은 드론의 안전한 사용을 보장하는 데 중요하다. 이는 운영자가 드론 비행의 기본 규칙, 비행 기술, 비상 상황 대처 방법 등을 이해하고 있어야 한다.

- 개 인 사 생 활 보 호

드론을 이용한 무단 촬영 및 감시는 개인의 사생활 침해 문제가 될 수 있다. 이에 대응하기 위해 많은 국가에서는 드론을 이용한 사생활 침해 행위에 대해 엄격한 제한을 두고 있다.

드론의 대중화와 기술적 발전은 많은 이점을 가져다주었지만, 동시에 개인의 사생활 침해에 대한 우려도 증가시키고 있다. 공중에서의 촬영 및 감시 능력은 드론이 개인의 사적 공간을 무단으로 침입할 수 있는 가능성을 제기하며, 이에 대한 규제와 정책이 필요한 이유이다. 전 세계적으로 많은 국가들이 드론을 통한 사생활 침해를 방지하기 위해 구체적인 규제를 마련하고 있다.

• 개인 사생활 보호를 위한 드론 규제

- 촬영 및 감시 제한 : 많은 국가에서는 개인의 동의 없이 드론을 이용해 개인이나 사유 재산을 촬영하는 것을 엄격히 제한하고 있다. 특히, 개인의 사적인 순간이나 사유지 내에서의 활동을 무단으로 촬영하는 것은 법적 처벌의 대상이 될 수 있다.

- 비행 금지 및 제한 구역 설정 : 주거 지역, 학교, 병원 등 사생활 보호가 중요한 지역에서는 드론의 비행을 금지하거나 제한하는 규제를 설정한다. 이는 개인의 사생활을 보호하고, 무분별한 드론 사용으로 인한 불편을 최소화하기 위함이다.

- 등록 및 식별 시스템 : 드론과 운용자의 등록을 의무화하여, 모든 드론이 식별 가능하도록 하는 정책은 사생활 침해 사건 발생 시 책임 소재를 명확히 하는 데 도움이 된다. 이는 무단 촬영과 같은 불법 행위를 억제하는 효과도 있다.

- 교육 및 인식 제고 : 드론 운용자에 대한 교육 프로그램은 개인 사생활 보호와 관련된 법적 요구사항을 명확히 하고, 책임 있는 드론 사용을 장려한다. 이는 운용자가 사생활 침해의 법적 결과를 인식하고, 존중하는 데 중요하다.

- **도전 과제 및 미래 전망**

개인 사생활 보호와 관련된 드론 규제는 기술 발전의 속도와 사회적 수용도의 변화에 따라 지속적으로 발전하고 있다. 드론 기술의 진보는 새로운 형태의 사생활 침해 가능성을 제기할 수 있으며, 이에 대응하기 위한 법적 및 기술적 해결책의 개발이 필요하다. 또한, 국제적인 협력과 표준화는 국경을 넘는 드론 운용과 관련된 사생활 보호 이슈를 해결하는 데 중요한 역할을 할 것이다.

개인 사생활 보호를 위한 드론 규제는 드론이 사회에 긍정적으로 기여할 수 있는 방법을 모색하면서도, 개인의 권리와 자유를 보호하기 위한 균형점을 찾으려는 시도를 하고 있다. 앞으로도 이 분야는 기술, 법률, 윤리가 상호 작용하는 복잡한 영역으로 남을 것이며, 적절한 규제와 정책을 통해 개인의 사생활을 보호하는 것이 중요할 것이다.

- 보안 우려

국가 보안에 대한 우려를 해결하기 위해 특정 기술적 제한이 도입될 수 있다. 예를 들어, 일부 국가에서는 드론에 "지오펜싱" 기술을 적용하여 특정 지역에서의 비행을 자동으로 제한하도록 요구하고 있다.

드론 기술의 보급과 다양한 응용 분야로의 확장은 많은 보안 문제를 야기하고 있으며, 이에 대응하기 위한 규제 및 정책의 수립이 중요한 과제로 부상하고 있다. 드론은 그 특성상 사생활 침해, 무단 감시, 민감한 정보의 수집, 그리고 공공 시설 및 중요 인프라에 대한 위협과 같은 보안 문제를 일으킬 수 있는 잠재력을 가지고 있다. 이러한 문제들을 해결하기 위해 여러 국가에서는 드론 운용과 관련된 다양한 규제와 정책을 도입하고 있다.

• 드론 운용의 등록 및 식별

드론 운용에 대한 등록 의무화는 드론과 그 운용자를 식별할 수 있는 기본적인 방안 중 하나이다. 등록 과정에서 드론의 기술적 사양, 소유주 정보, 운용 목적 등이 기록되며, 이는 무단 비행이나 불법적인 활동을 추적하고 책임을 묻는 데 중요한 정보를 제공한다. 또한, 일부 국가에서는 드론에 식별 번호나 전자 식별 장치의 부착을 요구하여, 공중에서도 드론을 식별할 수 있도록 하고 있다.

• 비행 금지 구역 및 시간 제한

공공 시설, 정부 건물, 군사 시설, 공항 주변과 같은 민감한 지역에서의 드론 비행을 금지하거나 제한하는 정책은 보안 문제에 대응하는 또 다른 중요한 조치이다. 이러한 비행 금지 구역 설정은 드론을 이용한 무단 감시나 공격으로부터 중요 시설을 보호하기 위한 것이다. 또한, 야간 비행 제한과 같은 시간적 제한도 드론으로 인한 보안 위협을 줄이기 위해 설정될 수 있다.

• 데이터 보호 및 프라이버시 관련 규정

드론을 통한 데이터 수집 및 처리 활동은 프라이버시 보호 및 개인정보 보호와 관련된 중요한 문제를 제기한다. 따라서, 드론에 의해 수집된 영상이나 데이터의 저장, 처리, 공유 방식을 규제하는 정책이 필요하다. 이는 개인의 사생활을 보호하고, 민감한 정보의 무단 사용을 방지하기 위한 것이다.

• 사이버 보안 조치

드론과 운용 시스템은 해킹이나 사이버 공격에 취약할 수 있으므로, 사이버 보안 조치의 강화도 중요한 고려 사항이다. 이는 드론의 제어 시스템 보호, 데이터 전송의 암호화, 그리고 운용 소프트웨어의 정기적인 보안 업데이트를 포함한다.

드론 기술의 보안 문제에 대응하기 위한 규제와 정책은 드론의 안전한 사용을 보장하고, 사회적 신뢰를 구축하는 데 필수적이다. 이러한 규제는 기술의 발전과 사회적 요구에 맞춰 지속적으로 발전하고 조정되어야 한다.

- 도전 과제 및 미래 방향

드론 규제는 기술의 발전 속도와 사회적 수용도의 변화에 발맞추어 지속적으로 발전하고 있다. 규제 기관은 기술 혁신을 촉진하면서도 안전과 보안을 보장하기 위해 균형을 찾아야 한다. 또한, 국제적인 협력과 표준화는 드론 기술의 글로벌 시장에서 중요한 역할을 한다.

규제의 미래 방향은 드론 기술의 새로운 응용 분야와 가능성을 수용하면서도, 공공의 이익과 개인의 권리를 보호하는 데 중점을 둘 것이다. 이는 국제적인 협력을 통한 표준 설정, 지속적인 교육 및 인식 제고 프로그램, 그리고 기술적 해결책의 개발을 포함할 수 있다.

6

드론 기술의
도전 과제 및 미래

0 6
드론 기술의 도전 과제 및 미래

드론 기술은 지속적인 발전을 거듭하고 있지만, 이 기술의 보급과 확산 과정에서 여러 도전 과제에 직면하고 있다. 이러한 도전 과제를 극복하고 미래의 발전 방향을 모색하는 것은 드론 산업의 지속 가능한 성장을 위해 필수적이다.

- 도전과제-공중 안전 및 보안

  드론의 증가하는 사용은 공중 안전에 대한 우려를 낳고 있다. 비행금지구역에서의 무단 비행, 상업 항공기와의 충돌 위험, 개인의 사생활 침해 등은 주요 이슈로 부상하고 있다. 이러한 문제들을 해결하기 위해서는 효과적인 드론 관리 및 모니터링 시스템의 구축이 필요하다.

  드론 기술의 급속한 발전과 보급은 다양한 산업 분야에서 혁신적인 사용 사례를 창출하고 있지만, 공중 안전 및 보안과 관련하여 여러 도전 과제도 함께 제기하고 있다. 이러한 도전 과제를 극복하고 효과적으로 관리하는 것은 드론 기술의 지속 가능한 발전과 사회적 수용을 위해 필수적이다.

- **공중 안전 도전 과제**

  - 항공기와의 충돌 위험 : 드론과 유인 항공기 간의 가능한 충돌은 가장 심각한 공중 안전 우려 중 하나이다. 공항 근처나 항공 경로에서의 무단 드론 비행은 항공 교통에 심각한 위험을 초래할 수 있다.

  - 낙하 위험 : 비행 중인 드론의 기술적 결함이나 조종 실수로 인해 드론이 추

락할 경우, 지상에 있는 사람이나 재산에 피해를 줄 수 있다.

- 비행 기술 및 규제 준수 : 드론 운용자의 비행 기술 부족 또는 규제 미준수는 공중 및 지상의 안전을 위협할 수 있다.

- **보안 도전 과제**

- 무단 감시 및 사생활 침해 : 드론을 이용한 무단 감시 활동은 개인의 사생활을 침해하고, 보안에 대한 우려를 증가시킨다.

- 보안 시설에 대한 위협 : 군사 시설, 정부 건물, 중요 인프라 등에 대한 무단 비행은 국가 보안에 심각한 위협을 가할 수 있다.

- 사이버 보안 취약성 : 드론과 제어 시스템 간의 통신은 해킹의 위험에 노출되어 있으며, 이는 드론을 원치 않는 목적으로 사용될 가능성을 증가시킨다.

- **미래 전망 및 해결 방안**

- 고도화된 드론 감지 및 무력화 시스템 : 공항과 같은 중요 시설에 설치되는 드론 감지 시스템은 무단 비행 드론을 조기에 식별하고, 필요한 경우 무력화 할 수 있다.

- 통합된 항공 교통 관리 시스템 : 드론과 유인 항공기가 안전하게 공존할 수 있도록 지원하는 통합된 항공 교통 관리 시스템의 개발이 중요하다.

- 엄격한 규제 및 교육 프로그램 : 드론 운용자에 대한 체계적인 교육 및 인증 프로그램은 안전한 비행 기술과 규제 준수 해야 한다.

- 보안 프로토콜 강화 : 드론과 제어 시스템 간의 보안 프로토콜을 강화하여 사이버 보안 위협을 최소화 해야 한다.

드론 기술의 미래는 이러한 도전 과제를 어떻게 해결하고 관리하는지에 달려 있다. 기술 혁신, 정책 개발, 국제 협력을 통해 드론 기술은 공중 안전 및 보안을 보장하면서도 그 잠재력을 최대한 발휘할 수 있어야 한다.

- 도 전 과 제 - 기 술 적 한 계

현재 드론 기술은 배터리 수명, 비행 범위, 페이로드 용량 등에서 여전히 기술적 한계에 직면해 있다. 이러한 한계는 특히 장거리 배송과 같은 응용 분야에서 드론의 활용성을 제한한다. 기술적 한계를 극복하기 위한 연구와 개발이 계속되고 있으며, 이는 드론 기술의 미래 발전에 중요한 요소이다.

드론 기술의 급속한 발전에도 불구하고, 여전히 극복해야 할 기술적 한계가 존재한다. 이러한 한계는 드론의 성능, 활용 범위, 그리고 신뢰성에 영향을 미치며, 드론 기술의 미래 발전 방향을 결정짓는 중요한 요소이다.

• 배터리 수명과 비행 시간

드론의 가장 큰 기술적 한계 중 하나는 배터리 수명과 관련된 문제이다. 대부분의 드론은 리튬 이온 배터리를 사용하는데, 이는 비교적 짧은 비행 시간을 의미합니다. 드론의 비행 시간은 일반적으로 30분 내외로 제한되며, 이는 장거리 비행이나 장시간 지속되어야 하는 작업에는 제약이 된다. 배터리 기술의 발전은 드론의 비행 시간을 연장시킬 수 있는 핵심적인 방안으로, 고에너지 밀도 소재의 개발, 효율적인 에너지 관리 시스템, 그리고 대체 에너지 소스의 활용이 중요한 연구 분야이다.

- **페이로드 용량**

드론의 페이로드 용량, 즉 드론이 운반할 수 있는 무게도 기술적 한계 중 하나이다. 특히, 경량화를 위해 설계된 소형 드론의 경우, 추가적인 장비나 센서를 탑재할 때 운반 능력에 제약을 받을 수 있다. 페이로드 용량의 증가는 드론의 구조적 강도, 에너지 효율, 그리고 비행 제어 시스템의 고도화를 통해 달성될 수 있다.

- **통신 시스템의 안정성**

드론의 원격 제어와 데이터 전송은 신뢰할 수 있는 통신 시스템에 의존한다. 하지만, 통신 신호의 지연, 간섭, 또는 손실은 드론의 안전한 운용을 위협할 수 있다. 특히, 복잡한 환경이나 장거리 비행에서 통신 문제는 더욱 심각해질 수 있다. 이를 해결하기 위해, 더 강력하고 안정적인 통신 기술의 개발, 드론 스스로 비행 경로를 조정할 수 있는 자율 비행 시스템, 그리고 멀티-채널 통신 시스템의 적용이 필요하다.

- **환경적 적응성**

드론은 다양한 환경적 조건 하에서 운용될 수 있어야 한다. 그러나, 강한 바람,

비, 눈과 같은 극한의 날씨 조건은 드론의 성능과 안정성에 부정적인 영향을 미칠 수 있다. 드론의 환경적 적응성을 향상시키기 위해서는 내후성 소재의 사용, 고도의 비행 제어 알고리즘, 그리고 환경 감지 센서의 통합이 중요하다.

드론 기술의 기술적 한계를 극복하기 위한 연구와 혁신은 계속해서 진행되고 있다. 배터리 기술, 경량화 소재, 고도의 통신 시스템, 그리고 AI 기반의 자율 비행 기술의 발전은 드론의 성능과 활용 가능성을 크게 향상시킬 것이다. 이러한 발전은 드론을 더욱 다양한 분야에서 활용할 수 있게 하며, 드론 기술의 미래를 더욱 밝게 할 것이다.

- 도 전 과 제 - 규 제 및 법 적 이 슈

　　드론의 상업적 및 개인적 사용 증가는 새로운 법적 및 규제적 도전 과제를 제
기한다. 드론 운용에 대한 명확한 규제가 부재하거나 불충분한 경우, 안전, 사생
활 보호, 보안 등의 문제가 발생할 수 있다. 국가별로 드론 관련 규제가 상이하여
국제적인 표준화 및 협력의 필요성도 증가하고 있다.

　　드론 기술의 급속한 발전과 다양한 응용 분야로의 확장은 규제 및 법적 이슈
라는 중요한 도전 과제를 야기하고 있다. 이러한 이슈는 드론 운용의 안전성, 사
생활 보호, 공공의 이익과 직접적으로 관련되어 있으며, 드론 기술의 지속 가능
한 발전과 사회적 수용도에 큰 영향을 미친다.

• 규제의 필요성

　　드론의 상업적 및 개인적 사용이 증가함에 따라, 공공 안전, 사생활 침해, 보안
위협과 같은 문제들이 부각되었다. 이에 대응하기 위해 많은 국가에서는 드론
운용에 대한 규제를 도입하거나 강화하고 있다. 규제의 주요 목적은 드론 운용

으로 인한 위험을 최소화하고, 드론이 사회에 긍정적으로 기여할 수 있는 환경을 조성하는 것이다.

- **주요 규제 및 법적 이슈**

  - 비행 허가 및 드론 등록 : 드론 운용자는 비행 허가를 받고, 드론을 등록하여야 한다. 이는 드론과 운용자를 식별할 수 있는 기반을 마련하고, 불법적인 사용을 방지하기 위함이다.

  - 비행 금지 구역 설정 : 공항, 군사 기지, 정부 건물 등 중요 시설 주변은 비행 금지 구역으로 지정되어, 드론의 접근을 엄격히 제한한다.

  - 개인 사생활 보호 : 드론을 이용한 무단 촬영이나 감시로 인한 사생활 침해를 방지하기 위한 법적 규제가 마련되어 있다.

  - 보안 위협 : 드론을 이용한 테러리즘, 범죄 행위를 방지하기 위한 법적 조치와 기술적 장치가 요구된다.

- **도전 과제**

  - 규제의 균형 : 드론 기술의 혁신과 상업적 활용을 촉진하는 동시에, 안전과 보안, 사생활 보호 등 공공의 이익을 보호하는 균형을 찾는 것은 큰 도전이다.

- 국제적 협력과 표준화 : 드론은 국경을 넘는 활동이 가능하기 때문에, 국제적인 협력과 규제 표준화가 필요하다. 다양한 국가의 법적 요구사항과 표준을 조율하는 것은 복잡한 과제이다.

- 기술적 진보에 대한 대응 : 드론 기술의 빠른 진보는 기존의 규제 체계를 지속적으로 재검토하고 업데이트해야 하는 필요성을 제기한다.

• **미래 전망**

규제 및 법적 프레임워크의 발전은 드론 기술의 건전한 성장을 지원하고, 사회적 수용도를 높이는 데 중요한 역할을 할 것이다. 기술적 진보를 반영하는 유연하고 혁신적인 규제 접근 방식의 개발, 그리고 국제적인 협력과 표준화 노력은 드론 기술의 미래 발전 방향을 결정짓는 핵심 요소가 될 것이다. 이를 통해 드론이 안전하게 운용되면서도 그 잠재력을 최대한 발휘할 수 있는 환경이 조성될 것으로 기대된다.

- 미래 전망 - 자율성 및 인공지능의 향상

드론 기술의 미래는 자율성과 인공지능의 지속적인 향상에 크게 의존할 것이다. 드론이 더욱 스마트해지고 주변 환경에 대한 인식 능력이 향상됨에 따라, 복잡한 작업을 수행하고, 인간의 개입 없이도 안전하게 비행할 수 있는 능력이 증가할 것이다.

드론 기술의 발전에 있어 인공지능(AI)과 자율성은 중요한 도전 과제이자 미래의 핵심적인 발전 방향이며 이러한 기술적 진보는 드론이 보다 독립적으로 복잡한 임무를 수행할 수 있게 하며, 다양한 응용 분야에서의 활용 가능성을 크게 확장한다. 그러나 이와 동시에, 자율성과 인공지능의 통합은 기술적, 윤리적, 법적인 여러 도전 과제를 제기된다.

• 기술적 도전 과제

자율 드론의 개발과 운용은 고도의 기술적 도전을 수반되며 이는 복잡한 환경에서의 정밀한 비행, 장애물 회피, 실시간 데이터 처리 및 의사결정 등을 포함한다. 인공지능과 머신러닝 알고리즘은 드론이 주변 환경을 인식하고, 상황에 맞는 결정을 내리는 데 필수적이지만, 이러한 기술의 신뢰성과 안정성을 확보하는 것은 큰 도전이다. 또한, 드론의 자율 비행 시스템은 다양한 센서와 데이터 소스를 통합하여 정확하고 신속한 반응을 가능하게 해야 한다.

- **윤리적 및 법적 도전 과제**

드론의 자율성과 인공지능 통합은 윤리적 및 법적인 질문을 제기한다. 예를 들어, 자율 드론에 의한 사고 발생 시 책임 소재는 어떻게 되는가, 드론이 수집하는 데이터의 프라이버시 보호는 어떻게 확보할 것인가 등의 문제이다. 이러한 질문에 대한 답은 드론 기술의 사회적 수용도와 규제 환경을 형성하는 데 중요한 영향을 미친다. 따라서, 드론 기술의 발전과 함께, 관련 법률과 규제도 지속적으로 발전해야 한다.

- **미래 전망**

인공지능과 자율성은 드론 기술의 미래를 형성하는 핵심 요소이다. 이를 통해 드론은 보다 복잡한 환경에서 다양한 임무를 수행할 수 있게 될 것이며, 이는 공공 안전, 물류, 환경 모니터링, 농업 등 여러 분야에서의 혁신적인 응용을 가능하게 할 것이다. 그러나 이러한 기술적 진보를 지속 가능하고 책임감 있게 활용하기 위해서는, 기술 개발자, 정책 입안자, 사용자 커뮤니티가 함께 협력하여 윤리적, 법적 기준을 마련하고, 사회적 합의를 이루어 나가야 할 것이다.

드론 기술의 미래는 인공지능과 자율성의 통합에 의해 크게 변화할 것이며, 이러한 변화는 우리 사회와 산업에 새로운 기회를 제공할 것이다. 동시에, 이러한 기술적 진보를 안전하고 윤리적으로 관리하는 것이 중요한 도전 과제로 남아 있다.

- 미 래 전 망 - 새 로 운 응 용 분 야 의 탐 색

기술의 발전은 드론이 새로운 응용 분야에서 활용될 수 있는 기회를 제공한다. 도시 계획, 교통 관리, 재난 대응, 환경 모니터링 등에서 드론의 역할이 확대될 것으로 예상된다. 이러한 새로운 응용 분야는 드론 기술의 사회적 및 경제적 영향을 더욱 확대할 것이다.

드론 기술의 발전과 함께, 새로운 응용 분야에 대한 탐색은 계속해서 확장되고 있다. 이는 기술적 혁신과 사회적, 경제적 요구의 결합으로, 드론의 활용 가능성을 더욱 넓히고 있다. 다음은 드론 기술이 탐색 중인 몇 가지 새로운 응용 분야이다.

• 도시 인프라 관리 및 개선

드론은 도시 인프라의 점검 및 관리에 점점 더 중요한 역할을 하고 있다. 이는 도로, 교량, 철도 시설, 그리고 공공 시설물의 상태를 정기적으로 모니터링하고, 필요한 유지보수 작업을 사전에 계획할 수 있게 한다. 드론을 활용한 인프라 관리는 효율적이고 비용 효과적인 솔루션을 제공하며, 도시의 안전과 기능성을 향상시킨다.

- **모바일 네트워크 및 데이터 전송**

드론은 임시 모바일 네트워크의 구축과 데이터 전송 서비스에 사용될 수 있다. 이는 특히 재난 발생 시나 대규모 이벤트에서 통신 인프라가 손상되거나 부족한 경우 유용하다. 드론을 이용하여 임시 통신 네트워크를 구축함으로써, 긴급 통신 지원과 데이터 공유를 신속하게 제공할 수 있다.

- **공중 배송 및 물류 서비스**

드론을 활용한 공중 배송 서비스는 물류 산업에서 큰 관심을 받고 있다. 이는 특히 도시 지역에서의 신속한 배송, 접근이 어려운 지역으로의 물품 전달, 그리고 의료용품과 같은 긴급 물품의 배송에 유용하다. 드론 배송 서비스는 물류의 효율성을 향상시키고, 배송 시간을 단축시키며, 운송 비용을 절감할 수 있는 잠재력을 가지고 있다.

- **환경 모니터링과 생물 다양성 보호**

드론은 기후 변화의 영향, 생태계의 변화, 그리고 야생 동물 보호에 관한 연구에서 중요한 도구로 사용된다. 드론을 통한 환경 모니터링은 과학자들이 더 넓은 지역을 효과적으로 조사하고, 생태계의 변화를 실시간으로 추적할 수 있게 한다. 이는 생물 다양성 보호와 환경 보호 정책의 수립에 귀중한 데이터를 제공한다.

- **창의적인 예술과 엔터테인먼트**

드론은 예술과 엔터테인먼트 분야에서도 새로운 창작 활동의 영감을 제공하기도 한다. 드론 라이트 쇼, 공중 촬영을 통한 예술 작품 제작, 그리고 인터랙티브 공연에 이르기까지, 드론은 창의적인 표현의 새로운 가능성을 열고 있다.

드론 기술의 지속적인 발전과 새로운 응용 분야의 탐색은 사회적, 경제적 혜택을 넓히고, 인류의 삶의 질을 향상시키는 데 기여할 것이다. 기술적 혁신과 함께, 적절한 규제와 윤리적 고려가 드론 기술의 지속 가능한 발전을 보장하는 데 중요할 것이다.

- 미래 전망 - 지속 가능한 발전을 위한 혁신

드론 기술의 지속 가능한 발전은 환경적 영향을 최소화하고, 사회적 수용도를 높이며, 경제적 가치를 창출하는 혁신을 해야 한다. 이를 위해 에너지 효율성, 소음 감소, 프라이버시 보호 등의 측면에서 기술적 혁신이 필요하다.

드론 기술의 지속 가능한 발전은 사회, 경제, 환경적 측면에서 긍정적인 영향을 미치면서도 동시에 여러 도전 과제에 대응해야 하는 복합적인 과제이다. 지속 가능한 발전을 위한 혁신은 기술적 진보, 규제 프레임워크의 개선, 그리고 산업과 사회의 책임 있는 참여를 포함해야 한다.

- **기술적 혁신**

- 에너지 효율성 향상 : 배터리 기술의 혁신과 에너지 효율적인 비행 알고리즘 개발은 드론의 비행 시간을 연장하고, 전반적인 에너지 소비를 줄일 수 있다. 또한, 재생 가능 에너지 소스의 통합, 예를 들어 태양광 패널의 탑재는 드론의 지속 가능한 운용에 기여할 수 있다.

- 소재 혁신 : 경량화 및 고성능 소재의 개발은 드론의 효율성과 내구성을 증

가시킨다. 또한, 환경 친화적이고 재활용 가능한 소재의 사용은 드론 산업의 환경 발자국을 줄이는 데 중요하다.

- 자율 비행 및 AI 기술 : 고도의 자율 비행 기능과 AI의 통합은 드론 운용의 안전성과 효율성을 개선한다. 이는 드론이 보다 복잡한 환경에서도 안전하게 작업을 수행할 수 있게 하며, 인간의 감독이 어려운 상황에서도 드론의 활용을 가능하게 한다.

• 규제 및 정책 개선

- 지속 가능한 규제 프레임워크 : 드론 운용에 대한 지속 가능한 규제 프레임워크의 마련은 안전, 사생활 보호, 환경 보호 등의 측면에서 중요하다. 이는 기술적 혁신을 촉진하고, 동시에 사회적 책임과 환경적 지속 가능성을 보장해야 한다.

- 국제 협력과 표준화 : 드론 기술과 운용에 관한 국제적인 협력과 표준화는 글로벌 시장에서의 지속 가능한 발전을 지원한다. 이는 국가 간의 정보 공유, 확산, 그리고 글로벌 공급망에서의 지속 가능성 향상에 기여할 수 있다.

• 산업과 사회의 참여

- 교육 및 인식 제고 : 드론 운용자 및 일반 대중에 대한 지속 가능한 드론 사용에 관한 교육과 인식 제고는 중요한 요소이다. 이는 드론 기술의 긍정적인 활용을 촉진하고, 잠재적인 부정적 영향을 최소화하는 데 도움을 준다.

- 지속 가능한 응용 분야 개발 : 농업, 재난 관리, 환경 모니터링과 같은 지속 가능한 응용 분야에서 드론 기술의 활용은 사회적, 경제적, 환경적 이익을 창출할 수 있다. 이는 드론 기술의 지속 가능한 발전을 위한 혁신적인 방향을 제시한다.

드론 기술의 지속 가능한 발전을 위한 혁신은 다차원적인 접근이 필요하다. 기술적 혁신, 적절한 규제, 그리고 산업과 사회의 책임 있는 참여를 통해, 드론 기술은 지속 가능한 미래를 향해 나아갈 수 있다.

드론 기술의 미래는 도전 과제를 극복하고 기술적, 법적, 사회적 측면에서의 지속 가능한 발전을 달성할 수 있는지에 달려 있다. 이러한 발전은 드론이 우리의 일상생활과 산업에서 더욱 중요한 역할을 수행하게 할 것이다.

7

결론

0 7
결 론

　　드론 기술은 지난 몇 년 동안 눈부신 발전을 이루었으며, 이는 다양한 산업 분야에서 혁신적인 변화를 가져왔다. 농업에서부터 건설, 물류, 미디어 및 엔터테인먼트에 이르기까지 드론의 응용은 그 범위와 깊이에서 지속적으로 확장되고 있다. 이러한 기술의 진보는 효율성 증대, 비용 절감, 안전한 작업 환경의 제공과 같은 명확한 이점을 제공함과 동시에, 사회적, 법적, 윤리적 도전 과제를 제기하고 있다.

　　드론 산업의 지속 가능한 발전은 기술적 혁신, 사회적 책임, 그리고 환경적 지속 가능성을 균형 있게 추구하는 해야한다. 이를 위해 다음과 같은 구체적인 제안들이 드론 산업의 지속 가능한 발전을 이끌 수 있을 것이다.

• 기술 혁신과 안전성 강화

　　- 자율성 및 인공지능의 향상 : 드론의 자율 비행 능력과 인공지능의 결합을 통해 효율성을 극대화하고, 인간의 개입을 최소화하여 작업의 안전성을 높인다.

이는 정밀 농업, 구조 작업, 인프라 검사 등 다양한 분야에서 드론의 활용도를 증가시킬 수 있다.

- 에너지 효율과 친환경 추진 시스템 개발 : 배터리 수명의 연장, 태양광 패널의 통합, 그리고 친환경 추진 시스템의 개발을 통해 드론의 운영 효율성을 높이고, 환경적 발자국을 줄일 수 있다.

- **규제 및 정책의 적극적인 개발**

- 통합된 규제 프레임워크 마련: 드론 운용에 대한 국제적인 표준과 규제를 마련하여, 안전한 사용을 보장하고, 국경을 넘는 드론 활동에 대한 지침을 제공해야 한다.

- 사생활 보호 및 데이터 보안 강화 : 드론을 통한 데이터 수집과 처리 과정에서 개인의 사생활을 보호하고, 데이터의 안전한 관리를 위한 명확한 규정을 정의 한다.

- **사회적 책임과 지역 사회와의 협력**

- 공공의식 및 교육 프로그램 : 드론 기술에 대한 공공의 인식을 제고하고, 책임 있는 사용을 위한 교육 프로그램을 개발하여 드론 기술의 긍정적인 측면을 홍보한다.

- 지역 사회와의 협력 : 드론 기술을 활용하여 지역 사회의 문제를 해결하고,

사회적 가치를 창출하는 프로젝트를 지원한다.예를 들어, 환경 모니터링, 재난 대응, 그리고 공공 안전을 위한 드론 프로그램 등이 있다.

- **지속 가능한 발전 목표(SDGs)와의 연계**

  - 지속 가능한 발전 목표와의 연계 : 유엔의 지속 가능한 발전 목표(SDGs)와 연계하여 드론 기술의 발전 방향을 설정하며 이는 드론 기술이 환경 보호, 지속 가능한 도시와 커뮤니티 구축, 책임 있는 소비와 생산 등의 목표 달성에 기여하도록 해야한다.

  드론 산업의 지속 가능한 발전은 단기적인 이익 추구를 넘어, 장기적인 관점에서 사회적, 경제적, 환경적 가치를 동시에 추구하는 것을 의미하며 이를 위해 기술 개발자, 사용자, 정책 입안자, 그리고 사회 전반의 협력이 필요합니다.

  안전과 개인의 사생활 보호, 그리고 국가 보안과 같은 이슈는 드론 기술의 발전 과정에서 반드시 고려되어야 할 중요한 요소이다. 이를 위해 효과적인 규제 체계의 마련, 운영자 교육 및 인증, 그리고 기술적 한계의 극복이 필요하다. 또한, 드론 기술과 관련된 국제적 협력과 표준화 작업도 중요한 과제로 부상하고 있다.

  미래에는 드론 기술이 더욱 발전하여 자율성과 인공지능 통합 수준이 향상될 것으로 예상된다. 이는 드론이 더 복잡하고 다양한 작업을 수행할 수 있게 함으로써, 새로운 응용 분야의 개척을 가능하게 할 것이다. 동시에, 지속 가능한 발전을 위한 혁신적인 해결책의 개발이 중요해질 것이다. 이는 에너지 효율성, 소음 감소, 그리고 환경적 영향의 최소화를 포함할 것이다.

결론적으로, 드론 기술은 우리 사회와 산업에 많은 기회를 제공하고 있지만, 이와 함께 여러 도전 과제를 안고 있다. 이러한 기술의 잠재력을 최대한 활용하고, 동시에 관련된 위험을 관리하기 위해서는 지속적인 연구, 혁신적인 사고, 그리고 글로벌 협력이 필요하다. 드론 기술의 미래는 이러한 노력에 의해 크게 좌우될 것이다.

드론 기술은 지난 몇 년간 눈부신 발전을 이루며, 다양한 산업과 우리의 일상 생활에 깊숙이 들어왔다. 이 책을 통해 탐색한 드론의 역사, 발전, 현재의 응용 분야, 그리고 미래의 가능성은 드론 기술이 인간 사회에 미치는 영향의 광범위 함을 보여주었다. 드론은 농업, 건설, 미디어, 환경 보호, 인명 구조 등에서 혁신 적인 해결책을 제공하며, 이를 통해 작업의 효율성을 향상시키고, 비용을 절감 하며, 새로운 기회를 창출하고 있다.

그러나 드론 기술의 급속한 발전과 확장은 사생활 침해, 공공 안전, 보안 문제 와 같은 도전 과제를 동반하고 이러한 문제들에 대응하기 위해, 적절한 규제와 정책의 마련, 기술적 혁신, 그리고 윤리적 사용에 대한 사회적 합의가 필요하다. 드론 기술의 지속 가능한 발전을 위해서는 기술 개발자, 정책 입안자, 사용자 커 뮤니티 간의 긴밀한 협력이 중요하다.

앞으로 드론 기술은 더욱 진화할 것이며, 이는 우리가 오늘날 상상하지 못하 는 새로운 응용 분야와 기회를 제공할 것이다. 인공지능, 자율성, 사이버 보안,

새로운 추진 시스템 등의 기술적 진보는 드론의 능력을 향상시키고, 그 활용 범위를 넓힐 것이다. 동시에, 드론 기술은 사회적, 윤리적 책임을 수반하는 지속 가능한 방식으로 발전해야 한다. 이러한 발전은 인간의 삶을 풍요롭게 하고, 지구 환경을 보호하며, 더 나은 미래를 향한 길을 열어줄 것이다.

  론적으로, 드론 기술은 우리 사회와 산업에 혁명적인 변화를 가져오고 있으며, 이는 끊임없는 혁신과 책임감 있는 관리를 통해 지속 가능한 발전을 추구해야 한다.